DAMÚ

DIRECCIÓN EDITORIAL: Adriana Beltrán
DISEÑO Y FORMACIÓN: Renato Aranda

Damú

ILUSTRACIONES: D.R. © 2011, Juan Gedovius

PRIMERA EDICIÓN: febrero de 2012
D.R. © 2011, Ediciones Castillo S.A. de C.V.
Castillo ® es una marca registrada.

Insurgentes Sur 1886, Col. Florida,
Del. Álvaro Obregón,
C.P. 01030, México, D.F.

**Ediciones Castillo forma parte
del Grupo Macmillan**

www.grupomacmillan.com
www.edicionescastillo.com
infocastillo@grupomacmillan.com
Lada sin costo: 01 800 536 1777

Miembro de la Cámara Nacional
de la Industria Editorial Mexicana.
Registro núm. 3304

ISBN: 978-607-463-563-8

Impreso en México/*Printed in México*

DAMÚ

Juan Gedovius

Castillo de la lectura

Impreso en los talleres de
Litográfica Ingramex S.A. de C.V.
Centeno 162-1, Col. Granjas Esmeralda,
México, Distrito Federal.
Febrero de 2012